GW00400051

Tu veux être ma copine ?

Susie Morgenstern

Tu veux être ma copine ?

Illustrations de Claude K. Dubois

Mouche

l'école des loisirs

11, rue de Sèvres, Paris 6^e^

Du même auteur à *l'école des loisirs*

Collection Mouche

L'autographe
Les fées du camping
Le bonheur est coincé dans la tête
Le fiancé de la maîtresse
Halloween Crapaudine
Joker
Un jour mon prince grattera
La liste des fournitures
Même les princesses doivent aller à l'école
Un papa au piquet
Les potins du potager
Sa Majesté la Maîtresse

Loi n° 49.956 du 16 juillet 1949 sur les publications destinées à la jeunesse : mars 2010
Dépôt légal : mai 2010
Imprimé en France par CPI Aubin Imprimeur Ligugé

ISBN 978-2-211-20103-2

Pour Hedwige Pasquet
et Marianne Magnier-Ripert

1

Seule avec des sauterelles dans le ventre

Hedwige n'aime pas cette maison isolée, au bord d'un champ d'elle ne sait pas quoi. Elle s'installe dans sa chambre avec l'angoisse du lendemain, quand la directrice la présentera à une classe peuplée d'étrangers hostiles. Elle aurait aimé avoir au moins des sœurs ou même un frère, savoir qu'elle ne serait pas toute seule en rentrant dans cette maison.

C'est insupportable.

Elle ressent une immense solitude, comme si elle se trouvait subitement dans un désert, rien que du sable à perte de vue, ou en pleine mer entourée par des vagues violentes, ou bien là où elle est, entre quatre murs au bord d'un champ, sans un autre être humain pour dire : « Bonjour, comment ça va ? »

C'était un déchirement pour Hedwige de quitter son école, son appartement, sa ville et surtout ses amis, et de déménager à la campagne en pleine année scolaire. Ses parents rêvaient de campagne depuis des siècles et puis ils ont tous les deux trouvé du travail et une maison au

centre de la France, autrement dit, au milieu de nulle part !

On ne lui avait pas demandé son avis. Ses parents s'exclamaient du matin au soir : « Tu verras comme c'est beau, la campagne, la nature, les oiseaux, la forêt. » Ou : « Tu verras, on va faire un jardin potager et tu

ramasseras des framboises à la pelle ! »
Ou : « Tu verras, nous aurons beaucoup de place et tu pourras inviter tes amis. »

Quels amis ???

Anna, Fanny, Salima restaient à Paris, exactement là où Hedwige voulait s'engluer pour toujours.

C'est insupportable.

Au petit déjeuner, ses parents ne trouvent pas d'autre sujet de conversation que de reparler de leur entretien d'embauche avec la Directrice des Ressources Humaines de l'entreprise où ils commencent leur nouveau travail ce matin. Elle leur avait posé une série de questions qui lui avaient permis de savoir s'ils étaient aptes à cet emploi. Pour le plus grand malheur d'Hedwige, ils remplissaient les critères.

Hedwige enfile son jean préféré et une chemise neuve. Elle se coiffe avec soin. Mais ça ne l'empêche pas d'avoir une meute de sauterelles dans le ventre, des serpents dans le sang et des grenouilles dans la tête.

La maîtresse est moyennement vieille, et les enfants, des momies endormies depuis six siècles. Rien à voir avec sa classe tellement vivante et animée à Paris. Hedwige s'assied à côté d'une fille qui ne la regarde même pas. Elle lui montre juste la page du livre d'exercices de maths. Hedwige pense au joyeux chahut de la classe qu'elle a quittée. Guillaume doit être en train de faire le fou pendant que Salima et Fanny se font passer des mots.

C'est insupportable.

Pendant la récréation, elle n'a pas le courage d'aborder les petits groupes de filles. Elle les observe de loin. Personne ne l'invite. Même scénario à la cantine. Hedwige enrage contre ses parents qui lui font subir une telle épreuve.

Seule et misérable, elle décide que ça ne peut pas durer.

2

Questionnaire pour un emploi

Hedwige n'a pas encore de devoirs. Elle pourrait regarder la télé, jouer à l'ordinateur, téléphoner à Paris. Mais non.

Elle a autre chose à faire.

Sur la table de la cuisine (il y a au moins le moteur du frigo qui ronronne pour lui tenir compagnie), elle étale quelques feuilles et commence :

1. *Es-tu plutôt ketchup ou mayonnaise ?*

2. *Aimes-tu parler ou écouter ?*

3. *Est-ce que tu as une meilleure amie ?*

C'est tout ce qu'elle veut au monde !

4. *Veux-tu une amie pour t'amuser ou pour parler de choses sérieuses ?*

5. *As-tu un problème ? De quoi tu as le plus peur ?*

6. *Est-ce que tu t'es déjà disputée avec une amie ?*

Hedwige s'arrête entre chaque question pour essayer de répondre à sa façon. Elle se souvient des disputes avec Fanny quand celle-ci faisait bande à part avec Anna et l'excluait de leurs jeux.

7. *Préfères-tu une amie qui te ressemble ou une qui soit différente de toi ?*

Hedwige ne sait pas. Elle aimerait une amie qui aime les mêmes choses qu'elle (plutôt ketchup !)

8. *Est-ce que tu sais dire : « J'ai eu tort » ?*

9. *Est-ce que tu te réjouis quand une amie réussit un exploit ?*

Hedwige était rayonnante quand Salima gagna le concours de la meilleure affiche pour « La ville du futur ».

10. *Aimes-tu les potins ?*

« Oui, pense Hedwige, j'adore ! »

11. *De quoi aimes-tu discuter : du temps ? de la mode ? de la télé ? de l'école ? des fantômes ?*

12. *À quoi servent les amis ?*

13. *Aimes-tu rire ?*

14. *Quelles sont tes qualités ?*

15. *Quels sont tes défauts ?*

Elle a beau réfléchir, Hedwige n'en trouve pas un seul.

16. *Est-ce qu'une amie t'a déjà déçue ?*

Aurore en CP, Laurie en CE1, Mathilde en CE2.

17. *C'est quoi, une amie ?*

18. *Que fais-tu quand tu n'es pas à l'école ? Qu'est-ce que tu fais quand tu t'ennuies ?*

19. *Veux-tu partager tes secrets et ton cœur ?*

20. *Tu veux être ma copine ?*

Hedwige relit ses questions avec satisfaction. Elle les range dans son cartable. Elle épluche les pommes de terre, puis dresse la table avec trois couverts.

Ses parents reviennent guillerets de leur premier jour de travail. Si Hedwige comptait les retrouver malheureux au point de vouloir rentrer à Paris, c'est raté.

– Et toi, ma chérie, tu t'es fait de nouvelles copines ? demande son père.

Sa mère la regarde en cassant les œufs pour l'omelette.

– Non, pas encore, mais je m'en occupe!

Hedwige pense: «Je suis seule, mais je ne suis pas timide! Il faut que je réussisse!»

Avant de se coucher, Hedwige cherche une définition sur Google:

La gestion des ressources humaines (la GRH) est un ensemble de pratiques ayant pour objectif de mobiliser et développer les ressources humaines pour une plus grande efficacité, en soutien de la stratégie d'une organisation, notamment en s'occupant du recrutement.

3
Les assassins de l'esprit d'entreprise

Les sauterelles, les serpents et les grenouilles se sont tus, elle a moins peur aujourd'hui. Déjà elle repère les têtes des enfants de sa classe et elle connaît leurs noms. C'est un peu moins insupportable. Les enfants continuent à la bouder comme si elle allait les contaminer par une maladie qui s'appelle « ailleurs ». Hedwige se demande si les enfants de la campagne ne sont pas juste plus timides que les enfants de la ville. Elle se répète pour se convaincre : « Je suis seule, mais je ne suis pas timide ! Il faut que je réussisse ! »

À l'heure de la récréation, elle retrouve son courage d'autrefois pour demander à la maîtresse si jeudi à la même heure, elle pourra rester dans la classe au lieu d'aller dans la cour.

– Non, c'est interdit.

– Alors, est-ce que je pourrai sortir une table et deux chaises dans la cour ?

– Non, c'est interdit.

Hedwige reçoit ces réponses comme une claque. Elle est désespérée. Elle va dans la cour et se cache de nouveau dans un coin pour

observer les jeux stupides des autres. Elle pense que l'humanité n'est pas encourageante. Personne ne l'invite, personne ne lui parle. Le monde entier ignore sa détresse. Si elle était à Paris, elle pourrait se jeter dans la Seine. Mais c'est précisément le problème : la Seine est loin, très loin.

C'est insupportable.

Elle écoute les leçons, elle fait ce que l'on lui demande, elle ne peut s'empêcher d'être la bonne élève qu'elle a toujours été.

En rentrant à la maison, elle passe par le « centre-ville » qui se résume à quelques magasins de rien du tout : une boulangerie, une épicerie, une boucherie, un bureau de tabac, une pharmacie et une boutique de cadeaux. Dans la vitrine de celle-ci, elle voit deux grands coussins qui lui donnent une idée pour jeudi.

Pour l'heure, reste le problème du mercredi : ses parents n'ont pas trouvé d'autre solution que d'envoyer leur fille chez une espèce de vieille sorcière de voisine qui a accepté de prendre Hedwige chez elle.

De tous les outrages commis par ses parents, celui-ci lui est le plus grand. Ils déposent allégrement leur fille comme un vulgaire paquet devant la barrière de la maison de la voisine sans même vérifier si elle rentre, et ils reprennent leur route.

Hedwige a envie de prendre ses jambes à son cou et de rentrer à la maison, mais elle entend grincer la porte qui s'ouvre avant qu'elle ait pu déguerpir.

Ses parents lui avaient dit que cette dame avait soixante-dix-huit ans. Hedwige lui donne vingt ans de plus, tellement sa peau est ridée et son corps ratatiné. Les cheveux ébouriffés sont gris, sa peau est grise, ses yeux aussi.

– Je m'appelle Hortense, lui dit-elle en la faisant entrer dans la maison sombre. Il fait chaud, alors je ferme les volets.

Hedwige pense à Hansel et Gretel. Les sauterelles et les serpents reviennent la tracasser. La peur ne

l'aveugle pas pour autant. « Je suis seule, mais je ne suis pas timide ! » se dit-elle.

Elle voit des piles de livres et des montagnes de revues en équilibre un peu partout.

Elle voit des tapis sombres et des coussins énormes, des rideaux lourds, des objets égarés d'éventuelles collections, divers jouets anciens, bref, tout sauf une télé !

– Un jour je rangerai, dit Hortense en lisant dans les pensées d'Hedwige.

Et instinctivement, Hedwige qui est entraînée par son récent déménagement, crie :

– Tout de suite ! On va le faire ensemble !

Elle commence à soulever les livres et à mettre de l'ordre.

– Oui, mais d'abord on va préparer notre déjeuner sur l'herbe, répond Hortense.

Hedwige la suit dans la cuisine ou plusieurs casseroles sont déjà sur le feu. Un saladier est prêt pour la confection du gâteau « façon Hortense ».

– Voilà, je te laisse faire, tu n'as

qu'à lire la recette et moi, je retourne à mes fourneaux.

La journée se passe comme un rêve, un très beau rêve. Le déjeuner est le meilleur de sa vie. En plus, Hortense lui parle comme on parle à une personne et pas à une miniature.

En partant, Hedwige lui emprunte deux grands coussins. Elle a hâte de revenir mercredi prochain.

4
Directrice des ressources humaines

Hedwige se lève avec entrain, presque contente de retourner à cette école de momies. Dans son enthousiasme, elle embrasse ses parents pour leur dire bonjour.

Elle traîne les deux énormes coussins jusqu'à l'école qui n'a même pas de nom, si ce n'est celui d'« École Publique ». Son ancienne école s'appelait Jacques-Prévert, en hommage au grand poète. Elle a appris par cœur plusieurs de ses poèmes, qu'elle continue à se réciter. Celui qui trotte dans sa tête ce matin est :

Quel jour sommes-nous ?
Nous sommes tous les jours
Mon amie
Nous sommes toute la vie
Mon amour
Nous nous aimons et nous vivons
Nous vivons et nous nous aimons
Et nous ne savons pas ce que c'est que la vie
Et nous ne savons pas ce que c'est que le jour
Et nous ne savons pas ce que c'est que l'amour.

Hedwige ajoute: «Et nous ne savons pas ce que c'est qu'un ami.»

La maîtresse ne lui demande rien

pour les coussins géants, comme si elle avait peur de sa réponse, comme si elle préférait l'ignorer et continuer à conduire sa classe sans l'œil critique d'une fille de la grande ville.

Hedwige patiente en attendant l'heure de la récréation. Quand la cloche sonne, elle se dit encore: «Je suis seule, mais je ne suis pas timide! Il faut que je réussisse!» Et elle demande à sa voisine si elle veut bien la suivre. Prise de court, Inès la suit.

Hedwige place les deux coussins dans un recoin isolé de la cour.

– Assieds-toi s'il te plaît, dit-elle d'un ton professionnel à Inès en montrant un de ses coussins. J'aimerais te poser quelques questions.

– *Es-tu plutôt ketchup ou mayonnaise?*

Inès ne demande pas les raisons de cette question ni des suivantes. Elle est contente de s'asseoir là, sur un coussin, contente que l'on s'intéresse à elle.

– Je sais faire la mayonnaise! Je l'ai ratée cent fois, mais dimanche dernier, j'ai enfin réussi.

Hedwige trouve cette réponse hors-sujet, mais elle poursuit le questionnaire.

– *Aimes-tu parler ou écouter ?*

Inès réfléchit longtemps.

– J'aime plutôt écouter. Je ne sais jamais quoi dire.

– *Est-ce que tu as une meilleure amie ?*

– Oui, mon chien, Louis.

– Ton chien s'appelle Louis ?

– Oui, comme les rois de France.

– *Veux-tu une amie pour t'amuser ou pour parler de choses sérieuses ?*

– Je dis tout à mon chien et on s'amuse bien ensemble. Qu'est-ce que tu veux dire par des choses sérieuses ?

La sonnerie retentit de nouveau, mais Hedwige en a assez entendu pour arriver à sa conclusion : Inès n'est pas embauchée.

Le lendemain Hedwige invite une autre candidate, Léna. Mêmes coussins, même recoin de la cour, aucune opposition, Léna joue le jeu.

– *As-tu un problème ?*

– Oui, j'ai un problème ! Il s'appelle Bastien. C'est mon petit frère !

– *Est-ce que tu t'es déjà disputée avec une amie ?*

– Avec UNE ??? Plutôt des milliers ! Je me suis disputée avec toutes les filles de la classe ! Et tous les garçons aussi !

« Bon, pense Hedwige, pas besoin de poser les autres questions, celle-ci est recalée avant même la fin de l'entretien. »

Au suivant !

Céline a peur de s'asseoir, comme si elle ne voulait pas s'engager, alors elle reste debout.

– *Préfères-tu une amie qui te ressemble ou une qui soit différente de toi ?*

– Qu'est-ce que ça peut te faire ?

– *Est-ce que tu sais dire : « J'ai eu tort » ?*

– Ça te regarde ?

– *Est-ce que tu te réjouis quand une amie réussit un exploit ?*

– Je ne joue pas à ton jeu !

– Bon, désolée de t'avoir dérangée. Tu peux disposer !

Au suivant !

Joanna a très envie d'essayer les coussins. Elle les lorgne depuis le début de la récréation.

– *Aimes-tu les potins ?*

Joanna veut réussir cet examen, mais elle ne sait pas quoi répondre.

Elle adore les potins ! Elle n'aime rien autant que papoter et passer en revue toutes les filles de la classe. Et tous les garçons ! Mais, au lieu de dire ce qu'elle pense, elle préfère jouer les filles bien.

– Ce n'est pas beau les ragots !

– *De quoi aimes-tu discuter : du temps ? de la mode ? de la télé ? de l'école ? des fantômes ?*

Joanna réfléchit de nouveau. Oui, mode et télé, c'est son truc. Mais c'est sûrement un piège.

– Des livres !

Joanna murmure toutes ses réponses comme si elles étaient des questions. Hedwige se méfie.

Au suivant !

5
La faillite

À la fin de la semaine, alors que tous les candidats sont passés au crible, Hedwige n'a toujours pas recruté l'ombre d'une amie.

– Si le directeur des ressources humaines ne trouve personne pour un emploi, qu'est-ce qu'il fait ? demande-t-elle à ses parents.

– Il continue à chercher. Il passe des petites annonces, il regarde autour de lui, il fait marcher le bouche-à-oreille. Il fait des compromis aussi. Il accorde sa confiance à quelqu'un qui n'a pas tout à fait le profil. Mais, finalement, la plupart du temps, il n'y a pas de problème.

– Des compromis ?

– Oui, si tu n'as pas trouvé ce que tu espérais, tu acceptes de vivre avec moins. Il faut être souple dans la vie.

Hedwige se demande s'il ne va pas falloir chercher du côté des garçons. Puisqu'il faut être souple !

Elle invite Pierre dans son « bureau ». Pierre, c'est le pire de la classe, envoyé chez la directrice tous les jours. Il est agressif et bagarreur. Mais puisque Hedwige doit être souple et faire des compromis, elle commence par lui. « Je suis seule, mais je ne suis pas timide ! Il faut que je réussisse ! »

Pierre refuse de s'asseoir sur les coussins. Hedwige commence à avoir le torticolis à force de le fixer d'en bas, alors elle se lève aussi. Elle continue son enquête.

– *À quoi servent les amis ?*

– À la baston !

– La baston ?

– Oui ! Taper, frapper, cogner.

– Tu plaisantes ? Mais pourquoi tu fais ça ?

– Parce que c'est drôle !

– Mais c'est pas plutôt contre des ennemis qu'on se bagarre ?

– Non, c'est rigolo, regarde…

Pierre ferme sa main et la rentre légèrement dans le ventre d'Hedwige. Elle est choquée.

– Ça va, tu peux partir, tu es… renvoyé !

– Pourquoi ? demande Pierre, contrarié d'être congédié avant même d'être engagé.

– Nous n'avons pas les mêmes centres d'intérêt.

Hedwige aimerait remplir son quota de deux entretiens par récré, mais Pierre ne veut pas bouger. Elle lui pose donc une autre question :

– *Aimes-tu rire ?*

Cela déclenche un tonnerre de rires forcés qui se traduisent par des « ho ho ho ! » et des « hi hi hi ! » et des « ha ha ha ! » à faire tourner toutes les têtes dans la cour. Et, sans le vouloir, Hedwige se met à l'imiter.

– *Quelles sont tes qualités ?*

– Je suis très gentil !

– Tu crois que c'est gentil de cogner ? De m'avoir tapée ? Je ne comprends pas.

Pierre, sans avertissement, se met à sangloter. Hedwige ne sait pas si elle doit le recruter ou pas. Il l'a fait

rire et maintenant il est sur le point de la faire pleurer.

Elle l'entoure de son bras et lui dit :

– On en parlera la semaine prochaine, d'accord ?

Pierre se lève et Hedwige fait signe à Sébastien de prendre sa place.

– Tu es l'ami de Pierre ?

– Personne n'est ami avec Pierre.

– Pourquoi ?

– Peut-être parce que son père est en prison.

– Pierre n'est pas son père ! dit Hedwige indignée.

– Mais Pierre, tu sais comment il est…

– Bon, passons à autre chose : *Quels sont tes défauts ?*

– Je suis un peu paresseux.

– *Est-ce qu'un ami t'a déjà déçu ?*

– Je n'attends rien alors je ne suis jamais déçu.

– *C'est quoi, un ami ?*

– C'est quelqu'un qui marche avec toi à l'école, qui joue avec toi à la récré, à qui tu peux téléphoner quand tu t'ennuies.

Hedwige n'entend pas la réponse romantique qu'elle cherche : un ami c'est une personne à qui l'on peut déverser son cœur en partageant des secrets, de la peine et de la joie. Un ami c'est quelqu'un qui, quand on le voit, fait battre plus fort le muscle dans sa poitrine. Il te veut du bien, tu lui veux du bien. Tu as envie de le voir le plus souvent possible. C'est avec lui que tu veux découvrir le monde.

Ce n'est encore pas dans cette classe qu'elle va dénicher ce trésor.

6

Le redressement

Mercredi. Hedwige attendait avec impatience cette nouvelle journée chez Hortense.

À peine arrivée, Hedwige prend place au côté d'Hortense dans la vieille Deux-Chevaux.

– On va où ?

– On va acheter des plantes aromatiques et des fleurs.

Bon an, mal an, la vieille dame conduit la vieille voiture à la jardinerie. Hedwige n'a jamais vu autant de fleurs.

– Je m'occupe des plantes aromatiques et toi des fleurs. Choisis ce que tu aimes, dit Hortense en poussant un chariot énorme vers Hedwige.

Pour Hedwige, véritable citadine, c'est une grande première. Elle choisit les fleurs qu'elle trouve belles et qui sentent bon. Elle prend plaisir à placer les pots dans le chariot, à voir toutes ces couleurs en fête.

La voiture embaume. Hedwige découvre des odeurs inconnues : l'estragon, le basilic, le romarin, le persil, la coriandre.

Au retour, Hortense montre à Hedwige comment faire un trou, comment planter et arroser tout ce qu'elles ont acheté. Elles mangent de

nouveau dans le jardin, une salade composée de toutes sortes d'herbes et même de quelques fleurs.

Hedwige décide de soumettre Hortense à son questionnaire de recrutement. Hortense passe haut la main toutes les épreuves, à tel point que Hedwige pense avoir trouvé l'amie idéale. Par exemple, voici sa réponse à la question « *C'est quoi une amie ?* » :

– C'est quelqu'un avec qui tu aimes glousser, marcher, jouer, faire du shopping, dire des secrets, partager ton cœur, quelqu'un que tu veux aider quand elle en a besoin, soulager, consoler, serrer dans tes bras, quelqu'un qui installe le sourire sur ton visage, ou qui peut te faire pleurer, quelqu'un qui te stimule et te donne des idées. Quand tu entends sa voix, tu sais que tu es chez toi.

– *Tu veux être ma copine ?*

– Je ne peux pas être ta copine parce que tes parents me paient pour te garder. On ne peut pas acheter une amie. Et puis il y a trop de différence d'âge, je suis même plus vieille que tes grands-mères. C'est difficile pour nous deux d'être copines : on ne peut pas faire nos devoirs ensemble, on ne peut pas vraiment jouer ensemble, il y a trop de déséquilibre entre ce que je vis et ce que tu vis. Tu vois, j'ai trop d'expérience et toi, pas assez.

Hedwige passe encore une journée formidable avec Hortense, mais elle est déçue qu'elles ne puissent pas être copines.

En se quittant, Hortense lui dit :

– On peut s'aimer quand même, se parler, avoir confiance l'une dans l'autre.

N'empêche, elle n'a toujours pas de copine !

C'est insupportable !

7
Je veux être ta copine !

Hedwige a le cœur lourd en se traînant à l'école. Elle laisse les coussins à la maison car elle n'a pas envie de continuer les interviews aujourd'hui. Puis, la maîtresse lui pose une question piège à laquelle elle ne sait pas répondre. À la cantine, il y a des salsifis qu'elle déteste. Elle les met de côté et la dame de la cantine la gronde.

C'est insupportable !

Tout à coup, sans qu'elle puisse les arrêter, des larmes coulent le long de ses joues. Elle n'a même pas de mouchoir pour les essuyer. Elle se met dans un coin de la cour et observe la vie et le monde. Elle n'a pas envie de participer; elle a plutôt envie de démissionner!

En retournant en classe, il y a un mot sur son bureau. Elle déplie le papier et lit :

« Ceci est une lettre sans facteur mais elle t'arrive du plus profond de mon cœur.

Je ne veux pas que tu souffres, car ce qui te sied le mieux, c'est le bonheur.

Alors, oui, je veux être ta copine, marcher avec toi dans les collines en nous racontant mille histoires.

Nathalie »

Dans sa liste, Hedwige n'était pas encore arrivée à Nathalie. À vrai dire, elle ne l'avait pas remarquée.

C'est une fille discrète et sérieuse qui fait son travail sans attirer l'attention. Elles échangent un regard. Bien sûr, Hedwige lui posera toutes les questions pour savoir si elle remplit la fonction d'amie. Entre-temps, le chagrin de cette matinée s'est levé comme autant de brouillard un matin d'hiver.

À la fin de la classe, Hedwige et Nathalie marchent ensemble dans la même direction sans parler, mais à l'aise l'une avec l'autre.

Hedwige pense à son questionnaire, mais elle n'a pas vraiment envie de tester Nathalie, juste de lui prendre la main.

L'amitié doit être comme l'amour après tout. Ça t'arrive, boum! Un

coup d'amitié comme un coup de foudre ! Ça te tombe dessus. On ne pose pas de questions à l'amitié, c'est l'amitié qui donne des réponses !

La seule question qui lui vient à l'esprit est :

– Tu veux venir goûter chez moi ?

– Il faut que j'avertisse mes parents, dit Nathalie.

– Je viens alors chez toi. Mes parents arrivent plus tard.

Les tartines de confiture maison sont délicieuses. La vie aussi !